CW00539647

# La bête qui me ronge

**Alexandre Dumont**

# La bête qui me ronge

*Recueil*

LE LYS BLEU
ÉDITIONS

ISBN : 979-10-377-1804-4

**Septembre 2014**

Je me souviens de ce serpent
Qui me disait encore hier
Tête haute, montrant les dents
Tirant sa langue de vipère :

« Regardez-moi cet imbécile !
On dirait qu'il cherche l'amour !
Regagne donc ton domicile !
Solitude, dis-lui bonjour !

Tu es trop laid et mal fringué
Les bras trop fins et les yeux fous
Personne ne pourra t'aimer
Tu es un veau parmi les loups ! »

Je suis retourné lui parler
Après qu'il eut dit tout cela
Mais depuis lors, j'avais changé
Et je n'étais plus du tout moi

En un regard, il comprit tout
J'étais trahi par mon sourire
Et un doux parfum sur mon cou
Me redonnait l'envie de rire

**18 mars 2015**

## À ma Muse perdue

Muse, Muse, ma belle Muse
Qui t'a donc enlevée à moi ?
Cela fait des mois que je m'use
À t'appeler sur tous les toits

Je me souviens de tes yeux bleus
Dans lesquels je me suis plongé
Dans la lumière de leurs feux
J'ai presque failli me noyer

Reviens à moi, je t'en supplie
Je souffre de ne plus te voir
Tout à toi, mon âme se plie
Dévorée par le désespoir

Je ne veux plus de ma folie
De cette haine qui me ronge
Je veux sentir la mélodie
De ton doux parfum dans mes songes

**24 mars 2015**

Que l'on sonne les violons !
De leurs belles voix j'ai besoin
Pour chanter toute ma passion
Vouée à mon ange divin

Faites donc rimer tous les vents !
Faites soulever les marées !
Changez l'amour, changez le temps !
Et faites les mers déchaînées !

Que le tambour gronde au ciel noir
Il me faut toute sa puissance !
Qu'il triomphe du désespoir
Qui me paraît bien trop immense !

Amour béni, amour maudit
Désiré et tant regretté
Toujours contraire à mon esprit
À jamais à mon cœur lié

### 14 novembre 2015

Je suis un pauvre chien malade
Une ombre errante dans la nuit
Un songe ou un rêve maussade
Inexistant, à l'agonie.

Je suis un souffle, une poussière
Je n'ai de veines ni de sang
Mes pieds ne sentent pas la terre
Je n'ai jamais été vivant.

**5 mai 2016**

## Âme mourante et noire écume

Mon esprit, éclat d'étoile morte,
Adore se jouer de moi
Il ne veut pas que je me sorte
De son gouffre puant et froid
Son regard de fer et d'enfer
Son feu furieux et effroyable
Sa fourche folle et mortifère
M'effacent, gnome misérable
Il serait fou de m'échapper
Car aussitôt sorti de terre
Il pleurerait sa longue épée
Mes larmes sur sa lame amère
Je hais les hommes, je me tais
Âme mourante et noire écume
Je suis le Fou si imparfait
Sanglant du rouge de sa plume

**9 mai 2016**

## Dialogue avec le Fou

Quand j'entrevois ses si beaux yeux
À travers ses cheveux ombrés
Je me sens brûler d'un doux feu
Parfum d'aurore et fleur d'été
Je l'aime et j'ose l'avouer
Est-ce un péché que d'être fou ?
Les dieux ne m'ont pas épargné
Je crie ma flamme auprès des loups
« Mais que dis-tu, stupide insecte ?
Que t'es-tu donc imaginé ?
Une illusion des plus infectes
Ravage ton cœur désœuvré »
« Tu n'es qu'un sot, un imbécile,
Un idiot doublé d'un crétin !
Tes sentiments sont bien futiles
Tu crois aimer ? Il n'en est rien ».
« Tu t'es inventé une femme
Un fantôme, une fantaisie

Je te le dis, ta drôle dame
N'est qu'un songe de ton esprit ! »
« Très bien, tu désires aimer…
En souffrant inutilement !
Car dans l'ombre de tes pensées
Aucune belle ne t'attend »

**10 mai 2016**

Lorsque mon âme pleure et que la Lune rit
Il m'arrive parfois, sombre dans mes pensées,
De rêver de ce bois où les cœurs attendris
Soupirent des mots doux et soufflent des baisers
Je m'imagine là, tout près de ces amants
Partageant leur folie dans les bras d'une femme
Oubliant la douleur, la peur et les tourments
Rejetant mes démons et déclarant ma flamme
Je me vois amoureux, comblé par sa présence
Et je me vois chanter la courbe de ses yeux
Qui dans leur bleu profond incarnent l'espérance
De contempler sans fin les merveilles des cieux
Mais ce n'est rien d'autre qu'un songe caressant
Et ma Muse rêvée n'est pas de notre monde
Je suis seul dans la nuit et j'entends, frémissant,
Les loups pleurer pour moi et ma peine profonde

## Août 2016

Je me revois encor devant cette bouteille
(À moitié vide ou pleine ; enfin, c'était pareil)
Sur mon tableau de chasse, elle était la quinzième
Et elle me disait : « Va écrire un poème ! »
Je crois que j'étais saoul bien plus qu'il n'en faudrait
Ainsi je lui dis non d'un air fort satisfait
Je n'allais pas écrire alors que j'étais plein !
Ma plume n'aurait pas pu tenir dans ma main !
Enfin quoi qu'il en soit la bouteille boudait
Elle ne voulait plus que je boive son lait
Elle, suicidaire, se jeta de la table
Et s'écrasa au sol ; je me sentais coupable.
Complètement bourré, je me mis à pleurer
La mort de cette amie que j'avais tant aimée
Mais j'étais criminel, ainsi la compagnie
Qui buvait avec moi me dit : « Affond conn'rie ! »

**10 août 2016**

Belle louve aux yeux bleus, les serpents me l'ont dit
Il est temps selon eux enfin que je t'oublie
Je devrais balayer nos précieux souvenirs
Rejeter les astres, regarder l'avenir
Mais je ne puis cesser d'observer le tableau
De ton visage doux, perle dans les roseaux
Le pinceau de l'Amour qui m'a ensorcelé
N'effacera les traits qu'il a si bien tracés
Alors on me dira que j'aime le malheur,
Que j'aime la douleur, que je hais le bonheur
Et qu'enfin mes amis sont parmi les démons
Mais ces serpents cruels aux sordides paroles
Ne savent pas qu'au soir toutes mes pensées folles
N'ont leurs yeux que pour toi et soupirent ton nom

**12 août 2016**

## À mon ami dessinateur M. Chadi Al Zein

Tandis que je lisais, assis dans mon fauteuil
Un travail bien corsé sur la passion des rois
Mon esprit endormi laissa tomber son œil
Sur un arbre lointain ayant perdu sa voix
Car le jour faiblissait, je l'aperçus dans l'ombre
Il était effrayant et ses branches arquées
Tordues en tous sens, firent de la pénombre
Un cauchemar vivant aux dents démesurées
Il faut que je l'avoue, cet arbre était bien mort
Mais je suis convaincu que c'était un démon
Car lorsque mon esprit y repense, mon corps
Est chaque fois saisi de terribles frissons
Pourtant malgré ma peur, je vous demanderai
Vous dont le pinceau clair et le crayon précis
Ont si bien de tout temps tracé sur le papier
Vos inspirations parues dans votre esprit,
Pouvez-vous dessiner la sombre créature
Que j'ai vue à l'instant ; que je veux sur mon mur ?

**6 octobre 2016**

« Mais quelle est cette odeur ? Mon ami, dis-le-moi…
Quel est donc ce parfum qui ravive mes sens ?
Ai-je dormi longtemps ; des jours ou bien des mois ?
Mon corps est bien réel… intacte est ma puissance !
AHAHAHAHAHAH ! LE FOU EST DE RETOUR !
Ma lame est aiguisée, prête à couper les chairs
Prête à trancher les porcs, prête à noircir le jour !
Je vous ferai saigner sous le coup de mes vers !
Mon très cher Poète, mon ami de toujours
Pourquoi n'es-tu heureux, pourquoi ce regard triste ?
Pourquoi un tel accueil la nuit de mon retour ?
Car je reprends ma place, ô Monseigneur l'Artiste !
Mon règne de terreur va enfin commencer
Ainsi ma noire plume, éclatante mortelle
Au monde exposera tes plus noires pensées :
Voici le Jour Sanglant de notre aube nouvelle ! »

**Octobre 2016**

Mes yeux se sont ouverts comme chaque matin
À l'heure où le Soleil entame le refrain
De sa triste chanson, mille fois répétée
Dont les notes se font heures de la journée
À peine réveillé j'entrevis le brouillard
Qui depuis quelque temps recouvrait mon regard
Et qui ne me laissait comme unique répit
Que lorsque mon âme quittait mon corps la nuit
Ainsi je me levai malgré la brume noire
Et déposai mes yeux sur mon terne miroir
Habituellement, je n'y voyais qu'une ombre
Qu'une créature pitoyable et fort sombre
Mais – mon dieu – aujourd'hui, sa forme était bien nette
Je voyais tout son corps… et je voyais sa tête !
Je ne crois pas qu'un jour je pourrai l'oublier…
Son visage livide et si peu éclairé
Était celui d'un mort dont l'éternel sommeil
Se serait transformé en un odieux réveil !
Il avait deux yeux verts n'ayant rien d'éclatant

Et qui auraient bien pu être ceux d'un serpent
Si l'on ne pouvait voir au fond de ses pupilles
Quelque chose d'humain… et un air de famille
Plongé dans son regard je ne remarquais pas
Que le triste Soleil avait cédé le pas
À la Lune troublée en voyant sur ma joue
Une larme de sang… je crois que je suis fou.

**29 novembre 2016**

La Lune m'éclairait de sa triste lueur
Et je la regardais, profitant du moment
Pendant ce court instant – oui ! –, je sentais mon
cœur
Pendant ce court instant, je ne voyais le sang.
Alors que nos regards se frôlaient dans la nuit
Et que je me sentais parcouru d'un frisson
Une idée me vint, et sans le moindre bruit
Je saisis mon archet et pris mon violon.

**22 décembre 2016**

L'ombre de mes pensées déteint sur mon visage
Depuis que l'Illusion bénie en ses images
S'est éloignée de moi, de mon cœur incertain
Pour laisser la Raison assombrir mon destin.
Il n'y a que du noir dans l'Enfer de ma tête
Où brûle et brûle encor ma plume de poète.
« Mais croquez donc la vie », dira l'illuminé
« Plongez-vous tout entier dans le lac éclairé
De l'homme inconscient du vide de l'Éther
Et de celui qui noie ses chagrins dans la mer !
Aimez, mon bon ami, parez-vous de l'Amour
Et oubliez un peu que la nuit suit le jour !
Contemplez la chandelle et admirez l'Azur !
Cessez donc un moment de trembler du futur,
Et vous verrez qu'un soir, l'orage de vos yeux
Laissera transparaître la beauté des cieux. »

**19 avril 2017**

Et la créature se demanda alors
Dans le sombre Océan de brumes étouffées
Si la battante pluie qui fouettait son corps
Était le châtiment pour ses tristes pensées
La bête murmurait : « Pourquoi ai-je si froid ? »
Et la pluie répondait : « Car tu es un tombeau
Et les tombeaux sans dieu, ceux qui n'ont pas de croix,
Doivent nous endurer, et fixer les roseaux… »

**5 juillet 2017**

Et que m'importe donc de ne plus rien sentir
Si lorsque je me penche et admire une fleur
L'odeur âcre des pneus vrombissants vient trahir
Son délicat parfum d'amour et de douceur ?
Et que m'importe donc de ne plus voir le ciel
Si craquant sous le poids de mes lourdes pensées
Mon esprit chaque nuit redoute le soleil
Qui vient dès le matin répandre sa beauté ?
Ma foi, cela est vrai : je caresse les ombres
Et j'admire leurs voix et leurs funestes danses
Me rappelant toujours que je ne suis du nombre
De ceux qui, dans le noir, rallument l'espérance.

**17 octobre 2017**

Assis sur un rocher, un bien triste penseur
Jetait sur la montagne éclairée dans la nuit
Par la pierre céleste et sa pâle lueur
Un regard épuisé, couvert d'un voile gris.
Cet homme qui touchait à peine ses vingt ans,
Dont la brune barbe témoignait la jeunesse,
Lourdement paraissait en avoir vécu cent
Et semblait regretter de lointaines caresses.
Pourtant son esprit point n'aspirait à l'Amour
Il en avait souffert, et en était conscient
Son cœur encor battant ne fleurissait au jour
Jamais plus pour Vénus, Érato seulement.
Le Néant l'appelait et soulevant la brise,
Maîtresse de l'orchestre, et du rythme et du ton,
Pareil au feu du soir que le grand-père attise,
Déposa tendrement un baiser sur son front.
C'est ainsi qu'il partit dans un dernier soupir,
Ce poète abattu par le poids des années,
La douceur de Tes yeux emportait son navire
Sa froide conscience l'avait fait chavirer.

**18 octobre 2017**

Je m'étais au verger des éternelles Muses
Assoupi comme un lion que la gazelle amuse
Je n'enviais pas l'Homme, encore moins ses biens
De mes noires idées, j'avais défait les liens
Et lorsque dans mon rêve apparut ton visage
La mésange chantait et souriait le Sage

## Le même jour

L'hiver tombait à gros flocons
La Lune penchait son regard
Sous le grand chêne, il faisait noir
L'on murmurait dans les buissons
Les ombres me tendaient les bras
Mais mon esprit les refusait
J'avais soulevé mon archet
Et je chantonnais dans tes pas
Tu dansais nue dans la clairière
Comme une nymphe aux pieds gelés
Tu voltigeais sans te froisser
À ta vision fondait l'Enfer
Ma Muse, ma Belle, mon Ange
Même si le temps nous sépare
Et que mon cœur parfois s'égare
Pour toi jamais il ne se change

## 19 octobre 2017

Si ma plume n'avait lors de songes passés
Enfermé sa lumière à l'ombre de mon être
Le démon de mon âme et sa rouge clarté
Au sein de ma pénombre n'aurait pu paraître

« Une journée sans vers en est une perdue »
C'est ainsi que parlait le charmant Baudelaire
Et moi qui, misérable, avais trop longtemps cru
Les mots incapables d'allumer la lumière

Le Poète savant détourne le regard
(Je suis un ignorant des rimes salvatrices)
En colère, Érato me ramène à son art
Le squelette du temps écarte mes supplices

Le poème est à l'âme et à son coup de feu
Ce qu'au brillant phénix lui paraissent ses cendres
Elles ne semblent pas faire partie du Jeu
Et pourtant, à la fin, faut-il bien les attendre

**19 octobre 2017**

Je porte un masque et je ne sais
Si parfois je laisse passer
Lorsque je ris devant le monde
Quelques bouts de ma face immonde
J'ai un marteau dans ma main droite
Collant aux sucs de ma peau moite
Il me permet que je fracasse
Avec force toute carcasse
Qui ose poser son regard
Au-delà de mon masque noir
Ainsi personne ne verra
Que ma peau est semblable au rat
Et que lorsque tombe le soir
Mes dents rongent et broient du noir.

**19 octobre 2017**

Quand il m'arrive au loin d'entendre les fêtards
Dans la grise ville, tituber et chanter
Lorsque ces passionnés dévalisent les bars
Je reste dans mon lit, et me prends à rêver
Je rêve de tes yeux qui furent miens jadis
Qui étaient mes joyaux, qui étaient mon trésor
Mais il fallut qu'un soir mon démon les salisse
Dans une mare sombre, engloutis de remords
Alors je me retourne et me tords en tous sens
Traversé de sanglots, abattu de chagrin
Je maudis cette vie et quoi que l'on en pense
Le Néant me rappelle et la Mort me revient
Il fut un jour où sot, je t'ai donné mon cœur
Mais sans imaginer le fardeau que serait
À travers un écran, de perdre ta faveur
Et de le regretter partout et à jamais

**24 octobre 2017**

Le suicide est un mot que souvent l'on redoute
Car lorsqu'il se dévoile à travers le murmure
D'une âme tourmentée, éloignée de sa route,
Il n'y a rien à dire, et tombe notre armure
Le bon cœur tente alors de rallumer la flamme
Qui brillait dans les yeux du tombant funambule
En montrant les joyaux, pour éviter le drame,
Que la vie peut offrir à qui point ne recule
Devant sa cruauté
Les amis quant à eux usent de fourberie
Et préfèrent de loin la souffrance aux joyaux
Ainsi dévoilent-ils la sourde barbarie
De la mort égoïste ignorant tout des maux
D'une famille en deuil
La maîtresse et l'amant refusent ces moyens
Indignes de l'amour qui règne dans leur être
Mais peuvent soupirer ces trois mots de chagrin
Que je dépose là, sans chaînes et sans maître
« Ne pars pas… »

[La Mort frappe à la porte et notre suicidaire
Peut-être embrassera le Néant qui revient
Mais au fond, je me dis : ce n'est pas mon affaire
J'ai déjà mon démon, je ne veux pas du sien.]

**29 janvier 2018**

Je veux sentir ta main caresser mon visage
Je veux que ton parfum engourdisse mes sens
Je veux ta douce voix pour apaiser ma rage
Je veux que l'Océan se calme en ta présence
Je veux que tes lèvres déposent sur mon front
— je veux – un doux baiser qui chassera les ombres
Je veux que ton regard désarme le Démon
Je veux que la nuit perde enfin son aspect sombre

Recueille dans tes mains les larmes que je t'offre

**30 janvier 2018**

## Poème ésotérique

La carcasse du songe étalait sa pensée
Dans la sombre avenue où passait ta crinière
La robe de l'Église étendait le fossé
Et ses pieds ne trouvaient plus d'ancrage sur terre

Le spectre vigoureux qui hantait mon école
Entendait lui aussi la rouille de la cloche
Il cessa de pleurer, leva sa tête folle
Pour rendre à la Lune le salut de la roche

Les démons qui frappaient aux portes de mes rêves
À l'annonce du temps égaraient leur amour
Fatigués de me nuire, et que coule la sève
S'endormirent enfin, écoutant le tambour

L'esclave du grenier, enchaîné au poteau
Hurlant depuis toujours sa peine et ses tourments
Ne poussa plus un cri, en voyant le corbeau
De son plus vieil ami, le sage du Néant.

## 1er février 2018

Cramponné au bâton qui me servait d'appui
Lentement, j'avançais, progressant dans le sable
Allant contre le vent, ce fidèle ennemi
Qui déchaînait encor ses démons inlassables

Il n'était plus de chair pour couvrir mon visage
Et ma cape en lambeaux partout se déchirait
Nous avions tout perdu au cours de ce voyage
La flamme de mon âme à présent vacillait

J'atteignais le sommet de la plus haute dune
Dominant le désert toujours plongé dans l'ombre
La lueur du Soleil chassa mon infortune
Illuminant mon cœur noyé dans la pénombre

Et je tendis mon bras vers cet astre d'espoir
Désirant le toucher et rompre enfin le sort
Mais le calme Néant m'enveloppa de noir
Et comme mes amis, je rejoignis la Mort.

**26 février 2018**

## Mutilations

Nous sommes si nombreux à tracer en cachette
Avec la pointe aiguë de nos lames secrètes
Des marques de douleur sur nos peaux au supplice
Que nous devrons cacher : ce sont nos cicatrices
Nous vivons parmi vous, au milieu de vos rires
Vous éclatez de joie ; nous poussons un soupir
Lorsque dans notre chambre enfin tombe le soir
Nous sortons nos couteaux pour crier au ciel noir
Et vous fermez les yeux face à notre souffrance
Votre petit monde, voilé d'indifférence
Ne nous remarque pas car nous sommes des chiens
Abandonnés au sort, laissés sur le chemin.
On nous répétera « Je veux que tu arrêtes ! »
Cela calmera-t-il notre sombre tempête ?
Cette douleur, ce sang et cette marque tendre
Oui, nous les chérissons, pouvez-vous les entendre ?
Nous continuerons d'attiser ce brasier
Tel est notre destin : allons nous mutiler.

**17 mai 2018**

Nous étions quatre amis autour de cette table
Garnie de viandes, dans une ambiance aimable
Nous discutions de tout, en remplissant nos panses
Et rigolions bien fort ; nous tuions le silence.
Mais c'était sans compter sur mes sombres démons
Qui me forçaient à boire, en poussant la chanson
Je remplissais mon verre avec célérité
Si bien qu'à peine empli, je le voyais vidé
Personne autour de moi ne suivait ma cadence
J'allais beaucoup trop vite, et me sentais immense
J'étais comme un géant engloutissant la bière
Qui coulait en cascade en une gorge amère
Si bien qu'à un moment, ma mémoire flancha
Je souffrais d'un black-out une nouvelle fois
Mais Romain, mon ami, me conta mes méfaits
Je m'étais enfilé, en ivrogne parfait
Plus d'une douzaine de verres en une heure
J'avais au moins fumé, pour mon plus grand malheur
Deux paquets de Camel à l'odeur étouffante

Et à l'ignoble goût, tel qu'on me le présente
Enfin pour terminer cette douce aventure
J'ai vomi mon quatre heure avec sa confiture
Mais ne croyez donc pas que retiendrai
L'une ou l'autre leçon de ma belle soirée
Je recommencerai à me mettre une mine
Dès que mon pauvre foie ne criera plus :
« Termine ! »

## 19 mai 2018

Les aiguilles du temps qui tracent leur chemin
Sans discontinuer de leurs parcours funestes
Nous éloignent toujours de nos vieux chagrins
Pour mieux nous resservir une tranche de peste

Nous ne vivons jamais selon notre passion
Qui se désintègre soudain entre nos doigts
Lorsque nous pensions sceller notre démon
Il revient à la charge écraser notre foi

Mais avons-nous jamais été un jour heureux ?
Tout glisse et coule comme une rivière en crue
Tout s'échappe, se meurt et s'éteint sous nos yeux
Lorsque nous nous ridons devant la Lune émue

Accueillons le tombeau qui sonne à notre porte
Et comme un vieil ami, ouvrons-lui grand les bras
Éteignons la chandelle avant que l'on ne sorte
De cette aventure terne, sans bel éclat

**Le même jour**

## Bouchez-vous le nez face à ces vers immondes

Tandis que je mangeais, assis au coin du feu
Quelques bonbons choisis plus tôt dans la journée
Je sentis dans ma gorge se former un nœud
Au parfum terrible qui me saisit le nez

Mon frère à mes côtés resta silencieux
Mais il me regardait de son triste visage
Son méfait accompli, il referma les yeux
Laissant l'air corrompu s'élargir au passage

Comme si je n'avais entendu la chanson
De son anus ignoble exprimant en trompette
Les restes du repas de viande de grison
Que nous avions mangés avec notre raclette !

Cette odeur infernale étouffe mes espoirs
Et m'étouffe tout court – oh mon dieu – c'est infâme
Mon frère est un démon, une moufette noire
Enfermant dans son pet les désirs de son âme

**6 juin 2018**

## Une rose et un loup

Lorsque le doux printemps vient caresser ma joue
Et que le vieux chêne chante dans ses branchages
Je regarde les cieux, assis comme le loup
Écarté de la meute à cause de son âge

Tu étais un soldat, un guerrier, un héros
Tu étais colonel aux multiples médailles
Tu portais fièrement la fleur jusqu'au drapeau
Tu étais un modèle, un artiste sans faille

Qui suis-je sous ton toit, sous tes yeux flamboyants ?
Que suis-je à tes côtés, ô glorieux militaire ?
Je suis un être infime, et toi le fier titan
Je suis ton petit-fils, tu étais mon grand-père

Lorsque je me retrouve en face de ta tombe
Au coin de mon âme, je t'offre cette rose
Que je voulais t'offrir avant que tu ne tombes
Et que tu ne sois plus qu'un loup qui se repose

**Début août 2018**

## À propos des poètes

Le poète aujourd'hui est un cœur oublié
Une statue d'antan, perdue dans le passé
Une créature, tapie dans la pénombre
Qui regarde le ciel aux étoiles sans nombre
Les poètes sont seuls et souvent incompris
Personne ne les voit, personne ne les lit
Leurs vers sont incertains et leurs plumes fragiles
Ils n'ont du colosse que ses grands pieds d'argiles
Et pourtant, malgré tout, ils poursuivent leurs chants
Ils chantent pour les dieux, ils chantent pour le temps
Et parfois, dans la nuit, une oreille amoureuse
Suit la mélodie des rimes merveilleuses
Qu'un pauvre rossignol, grattant sur son papier
A laissées tomber là, au milieu des rosiers

**12 août 2018**

## Le papillon de nuit

Du haut de cette tour que j'observais depuis
Ma fenêtre entrouverte arrosée de pluie
Dans l'ombre de la nuit, au-dessus d'un fossé
Ses ailes, sans un bruit, éclairaient mes pensées
Il ne frissonnait pas malgré les trombes d'eau
Qui tombaient en cascade, engorgeant les ruisseaux
Il regardait le ciel tapissé de fleurs noires
Avec ses beaux yeux blancs, ses lanternes du soir
Comme le grand aigle, fierté du haut Azur
Il chantait ses désirs, et de tendres murmures
Et ce bel animal, cette âme de lumière
Au-dessus de la tour aux allures austères
Était comme le phare, espoir de la tempête
Dans le labyrinthe des ombres de ma tête
Lorsqu'il s'envolera vers de lointains soupirs
Je me souviendrai de son si doux sourire
Qui bercera mon âme, illuminant d'espoir
La courbe de mon cœur, et celle du vieillard

**13 août 2018**

Je m'étais assoupi comme un lion repu
À côté du foyer qui chauffait mon salut
Je rêvais au repos de la vie facile
Celle de tout croyant, de toute âme docile
Pour qui le ciel est plein de vagues d'espérances
Et d'un dieu cruel aux épaules immenses
Qui porte sur son dos les piliers de l'Azur
Rien ne m'inquiétait, si ce n'est la fissure
Qui courait sur mon bras depuis que le vautour
De mon âme meurtrie voulut taire le jour
Soudain, je sursautai car dans la cathédrale
Que j'avais fait bâtir, on entendit le râle
De la grande Marie, la plus haute des cloches
Qui sonnait de tout cœur, voulant rompre la roche
Nous étions assiégés par les ombres du temps
Par ses doux souvenirs au creux du firmament
La pierre trembla et les portes grinçaient
Le Soleil s'éclipsa, la flamme vacillait
Et soudain, je la vis se tenir devant moi

Tel un ange de feu apportant le trépas
Ses beaux cheveux bouclés, son sourire éclatant
Ses yeux d'un gris profond, et sa peau de seize ans
Plièrent mes genoux, courbèrent mes désirs
Flambèrent mon honneur ; puis arriva le pire
Elle me transperça de son regard de fer
Et posa sur ma bouche un appel à la chair
À nouveau, j'étais nu face à la douce étreinte
De sa lèvre tendre qui étouffa mes craintes
Mais la sourde rage qui bouillonnait en moi
Malgré son doux parfum, soudain la repoussa
Mon cœur n'était pas sien, il était libre et pur !
Je refusais en bloc sa terrible torture
Et la bannis enfin du château de mon âme
J'abattis ses espoirs et je maudis la femme
Qu'elle était devenue en m'étreignant jadis
En pourfendant mon cœur de l'épée d'Artémis

**13 août 2018**

## Le Dragon

Je suis un dragon qui survole les sentiers
Où les amants bénis laissent tomber leurs pas
Comme des rossignols au milieu de l'été
Qui s'embrassent au soir dans la forêt des rois

J'admire le bonheur de ces cœurs éperdus
Qui malgré la tempête et malgré les remords
Poursuivent leurs ébats, sans que ne soient perdus
La pureté de l'âme et le beau chant du cor

Étendant mes ailes, je plane au-dessus d'eux
Je respire le vent qui souffle sur mes braises
J'étouffe la rage qui brûle mes grands yeux
Je referme le poêle et couve la fournaise

Et je me pose enfin sur les très hauts rochers
Dont les cimes brisées effleurent les étoiles
Je regarde la Lune et j'attends la rosée
Tandis que l'araignée file et file sa toile

**15 août 2018**

## Souvenir

Lorsque j'étais petit et tout inconscient,
La danse des astres me paraissait lointaine
Car dans le grand chaos qu'est le secret Présent
Je ne pensais qu'à elle et à ma sourde peine

Je n'avais que douze ans lorsque ses grands yeux bleus
Et ses boucles dorées attrapèrent l'essence
De mon âme immergée dans l'océan des cieux
Qui priait pour les dieux, sous le Néant immense

Elle me détourna des choses véritables
De la viande fraîche, des fruits et du nectar
Du chêne, du saule et du brillant érable
Elle arrêta le temps et éteignit le phare

Ainsi durant cinq ans sans que l'on ne le sache
Sans que mon cœur battant trahisse ma pensée

J'ai rangé mes espoirs dans une sombre cache
Et mon brûlant désir dans le pli des années

Cinq années à souffrir de son indifférence !
Cinq années à souffrir de sa douce beauté !
Pas un regard, un souffle, un soupir, un silence
Pas un sourire, un mot…, ni un simple baiser

Je te vénère encor lors des journées de pluie
Même si d'autres cœurs ont effleuré le mien
Je garderai toujours pour toi, belle égérie
Une pincée d'amour, tout au creux de ma main

**Le même jour**

## À mon ami
## M. Gauthier Van Vracem

Lorsque souffle soudain le vent de l'ignorance
Et que s'élève le voile de la croyance
Je regarde sans voix la bêtise si haute
Que je vois commander, les poussant à la faute
Sur les âmes perdues, sur nos amis, nos frères
Et sur l'humanité que je vois tout entière
Commettre des erreurs relevant simplement
D'exercices mentaux du niveau d'un enfant
Ainsi brandissent-ils de flambants étendards
Qui proclament tout haut la débilité noire
D'axiomes erronés, de sophismes idiots,
De déductions faussées, d'inductions pour les sots.
Heureusement parfois, dans ce chaos stupide
Quelqu'un vient éclairer les mensonges fétides
Vomis sans cesse par ces sophistes puants
Qui crachent et crachent leurs glaires de « savants »

C’est avec votre aide, votre esprit d’Aristote
Que parfois nous pouvons saisir la sainte note
Contre l’obscurantisme et ses multiples pions
Grâce à vous l’Intellect, l’Art, l’Amour, les Passions
Dieu, le Début, la Fin et aussi l’Entre-Deux
S’extirpent du Néant et retrouvent leur feu

Et de cela, je vous en remercie

**16 août 2018**

## L'ennui

La mouche qui volait au-dessus de ma tête
Lorsque j'avais huit ans (je n'étais pas poète)
Me paraissait étrange et bien plus captivante
Que le récit du prêtre à la langue pendante.
Dans cette église froide aux grands vitraux ternis
Par le poids des années et par un soleil gris,
J'étais assis devant cette communauté
De vieux et de bambins aux regards épuisés
Sur la première chaise au dossier confortable
Dont le parfum de cuir me paraissait aimable
Je crois que le curé parlait de Saint-Thomas
Mais il faut l'avouer : non je n'écoutais pas
Car je suivais la mouche, admirable chasseur
Qui poursuivait le temps comme un aviateur
Effectuant sans crainte un superbe looping
Et quelques rotations au-dessus du parking
Où je m'étais assis, en sérieux spectateur
Touchant par mon regard la pointe du bonheur

**17 août 2018**

## À Madame

La forêt enchantée que respiraient nos cœurs
Qui tournaient en dansant autour des troncs sacrés
N'a plus du mausolée de nos amours passés
Qu'un fantôme de pluie, qu'un spectre de ferveur

Je ne sens plus ta main réchauffer mon silence
Lorsque tu la posais sur ma froide poitrine
Pour accoupler nos sens au concert de nos mines
Qui se miraient sans cesse, à l'abri d'une absence

Il ne reste de toi qu'un parfum au trépas
Qu'une bougie éteinte au milieu des rosiers
Météore glacial du temps de nos baisers
Un fantôme exprimant son amour dans ses pas

Il m'arrive parfois, lorsque mon cœur soupire
De te voir dans les bras d'un cerf au cou d'argent,
De crier de douleur vers les astres déments
Mon amour éclatant, pour toi, mon doux martyre

**4 septembre 2018**

## La statue

Nous étions deux amants, deux frivoles images
Dont les yeux se croisaient au milieu des allées
Au détour des massifs et des roses d'été
Du grand Vaux-le-Vicomte et de ses grands feuillages

Nous marchions côte à côte, embrassés par nos mains
Timides, qui touchaient le temps de la tendresse
Qui ne s'échappera qu'au jour où la jeunesse
Fuira lorsque, vieux, nous flétrirons soudain

Et lorsque les chandelles du château béni
S'éteindront épuisées par l'éclat de la Lune
Je tiendrai ta main, contre mon infortune
Et ne te laisserai t'éclipser dans la nuit

La flamme de ton cœur, je la veux, à jamais
La courbe de tes yeux, je la veux, insensé
Que je suis de croire que toi, statue brisée,
Conserve la chaleur de l'homme que j'étais

**Le même jour**

## Pensée libre

Mon âme est creuse, je le vois
Le Néant y règne sans foi
Ni loi, il ne veut rien céder
Il est maître de son clavier
Et ne supporte aucunement
Qu'au travers de ses tristes chants
S'élève une note rebelle
Un beau front, une joie nouvelle
Qui voudrait perturber son hymne
Misérable, mais magnanime
Car malgré son fade visage
Il débite, malgré son âge
De généreuses vérités
Qu'il jette sans moindre pitié
Pour les croyants et les crédules
Pour les ânes et pour les mules
Qui choisissent la voie facile
Des vérités des évangiles

Ou d'autres axiomes faussés
Mais qu'importe donc ? Libérés
Sont-ils du Néant, de sa loi
Qui s'exerce, sans moindre choix
[Le Néant est le Dieu qu'il incombe de suivre
Pour qui il faut plier, et pour qui il faut vivre]

**29 janvier 2019**

## La poursuite

La terre qui tremblait sous mes sabots d'acier
Lorsque, dans un galop, je parcourais les champs
Reflétait un parfum d'aurore et de beauté
Que je sentais courir sur la courbe du temps

À travers les déserts, les forêts et les villes
Fuyant toujours le feu et ses crocs menaçants
J'enjambais les sentiers et les chemins d'argile
Je poursuivais ta flamme, allant contre le vent

Je voulais t'attraper, toi, mon étoile douce
Je voulais te sentir, te caresser, t'aimer
M'enfouir sous ta crinière et sous la Lune rousse
Déposer sur ton front un tout dernier baiser

Mais tu n'es que fumée, illusion, fantaisie
Tu n'es qu'un beau mirage, un séraphin de cire
Et si je cours encore au milieu de la nuit
C'est pour l'unique espoir de te voir me sourire

**18 février 2019**

## Enfants des ténèbres

Les étoiles brillaient dans les cieux obscurs
Et je vidais ma bière à l'ombre d'un pommier
Lorsqu'au loin j'entendis un étrange murmure
M'appeler tendrement, tel un souffle doré

Et c'est là que j'ai vu, sous la Lune d'argent
Près d'un lac où le temps semblait s'être figé
Une silhouette, telle une braise au vent
Douce, comme un oiseau, au milieu de l'été

Comment pourrais-je un jour oublier ses grands yeux ?
Deux splendides perles, deux astres vénérables
D'un noir aussi profond que le Néant sans Dieu
Enfants des ténèbres… et pourtant adorables

Mais qui était cet ange, et quel était son nom ?
Son souvenir m'échappe et s'efface sans bruit
Son visage s'éteint, mais ses yeux ? Oh que non !
L'alcool est un traître, et mon cœur est meurtri

19 février 2019

## L'invisible

Son regard ténébreux m'empêche de dormir
Il incendie mon âme en dix mille étincelles
Je brûle et me morfonds comme un démon de cire
Frappé par la foudre de cet ange cruel

Ses yeux, deux océans aux profondeurs obscures
Tourbillonnent en moi comme deux folles muses
Ils obsèdent mon corps et mes désirs impurs
Crient à la déraison face à leurs belles ruses

Je suppose que je n'ai rien laissé de moi
Lors du bref instant où nos esprits se croisèrent
Dans son cœur étranger à mes regards courtois
Je ne suis qu'une ombre sur son chemin de verre

Que j'aimerais pouvoir saisir sa tendre main !
Et lui dire tout bas mon obsession terrible
Qui depuis quelques jours ravage mes desseins
Et perturbent mes sens ; je lui suis invisible

**20 février 2019**

## Le faucheur

Je m'appuie sur ma faux, ma servante de fer
Et pose mon regard sur les tristes vallées
Là, au milieu des bois, dans la grande clairière
Je soupire et je prie d'être dans ses pensées

Cette malédiction que l'on nomme l'amour
Pénètre mon essence et défie ma raison
Je ne suis qu'un muet, un aveugle et un sourd
Je meurs de son absence et me noie de passion

Et je fauche les blés, me gorgeant d'illusions
Je m'imagine seul dans ses bras si légers
Brisant ces chaînes qui me gardent en prison
Et entendant battre son cœur contre l'acier

Car je suis de métal et je fonds pour ses yeux
Dont je ne cesse de vénérer la splendeur
Ah ! Que je l'aime tant ! Je l'aime tant, mon Dieu !
Je vois son visage dans les cieux rêveurs…

**13 mars 2019**

## Le dégoût de soi

D'infâmes désirs me secouent
Et transpercent mon âme noire
Comme une larme sur ta joue
Sur le porche à l'ombre du soir

Les démons dorment sous ma peau
Sous mes écailles de reptile
Je ne suis qu'un sombre crapaud
Bavant des rimes infantiles

Rien n'est pareil à ton regard
Le mien se noie dans l'eau vaseuse
Où pataugent mille têtards
Comme des fourmis silencieuses

Je suis un cadavre rampant
Dans les replis du Vieux Yharnam
Un chasseur avide de sang
Maudissant Dieu, craignant les femmes

Regarde en toi, ami lecteur
Ne vois-tu pas au fond de l'eau
Sous la croûte de ta laideur
Quelque chose de pur, de beau ?

**25 mars 2019**

## Je t'aime

J'ai cueilli une fleur dans un cratère obscur
Où les monstres rampants et d'autres créatures
S'endorment quand le ciel se pare de lumière
Et que le grand Soleil éclaire ta crinière
Cette rose nocturne est un rubis d'espoir
Les ténèbres se plient, rangent leurs robes noires
En sentant son parfum, ses effluves sans nom
Accompagnant les rois, endormant les dragons
Est-ce que tu me vois, sais-tu que je t'admire ?
Cette douce rose n'égale ton sourire
Mais tu dois sûrement l'entendre chaque jour
À quoi bon ? Les hommes doivent faire ta cour
Universellement, nous y sommes contraints.
Nous nous étriperons pour ta si tendre main
Et je tuerai tous ceux qui oseront t'aimer
Ma longue plume et moi, nous les ferons saigner
Et si nous échouions à convaincre ton cœur
Si dans ce grand combat nous tombions sans honneur

Sache que nos pensées et nos souffles ultimes
S'élèveront vers toi ; je pousserai le crime
De t'aimer comme un fou, enfin s'il est donné
À ceux qui sont tombés, aux morts, aux trépassés
Dans le Noir, le Néant, l'Ombre, la fin des jours
D'aimer, d'aimer encore et de t'aimer toujours

**18 avril 2019**

## La complainte de Notre-Dame

Je contemple Paris du haut de mes deux tours
Et respire la Seine aux reflets sans pareil
Lorsque tombe le soir et que s'enfuit le jour
À travers ma rosace et mes vitraux vermeils

Pourtant dans mes soupirs et sous mes lourdes pierres
Quelque chose bouillonne et gronde sous mon toit
Un tourbillon de feu et de sourde colère
Se lève vers le ciel qui tombe devant moi

Je rugis et maudis les astres enflammés
Qui n'osent même pas m'adresser un regard
Je tonne, je supplie pour mes erreurs passées
Pour tout le sang versé en bâtissant ma gloire

Je me consume et fonds sous les yeux de la foule
Et ma Flèche cède sous le poids des regrets

Tout n’est que mort, souffrance et les monstres, les goules
Au sommet de mes tours s’envolent désormais

**22 avril 2019**

## Mon rubis

C'est un secret si pur que garde enfoui
Tout au fond de mon âme, éclosant dans mon cœur
C'est un tendre parfum, un tout jeune rubis
Que j'aime contempler lorsque filent les heures

Si j'avais le pouvoir d'éteindre les étoiles
Je le ferais sans peur de voir tout s'effondrer
Car même le Néant et son sinistre voile
Ne peuvent dans tes yeux la lumière étouffer

Aucun trésor du monde, aucun diamant – non – rien
Ne peut rivaliser le rubis qui est mien
Il est mon tout, mon cœur, mon espoir et ma vie

Mais si tu le voulais, si tel est ton désir
Oui, je te le rendrais, en poussant un soupir
Car ce bijou, c'est toi, douce mélancolie

**Le même jour**

## Ivre d'amour

Un petit verre de vodka
Et un grand doigt de Martini
M'engourdissent comme le froid
La brume tombe sans un bruit

Je titube vers mon frigo
Lorsque je n'ai plus rien à boire
Et soudain tombe sur le dos
Je suis seul à l'ombre du soir

Je pense à toi dans mon ivresse
Et dans la nuit, je fais un vœu
Je n'attends rien qu'une caresse
Je veux me plonger dans tes yeux

Je me relève et prends ma bière
Une Ragnar au goût d'acier
Au goût de la rouille et du fer
Que j'engloutis dans mon gosier

Puis je reprends ma plume noire
Et tente d'écrire un poème
J'espère et me surprends à croire
Qu'un jour tu me diras « je t'aime »

**23 avril 2019**

## À C*****

Si je ne suis pas fait de métal et de fer
Si je dois me plier aux monstres des enfers
Si je ne suis ni fort, ni beau, ni courageux
Et si pour mon malheur, les dieux m'ont fait peureux
C'est qu'ils ne voulaient pas que je m'enorgueillisse
Et que dans le miroir je me vois en Narcisse
Qui ne peut décrocher les yeux de son image
Et qui tombe amoureux de son propre visage
Ils voulaient que mon cœur soit tout à la folie
Que l'on nomme souvent tout bas la poésie
Mais ils avaient pour moi de bien plus grands desseins
Ils voulaient que la rime et les mots que ma main
Trace quand le ciel noir épanche sa colère
Et que ses hurlements vibrent dans un éclair
La courbe de tes yeux, la beauté de ton corps,
Le feu de ton âme que j'aime sans remords.

« Aujourd'hui, j'aimerais t'emmener dans un bois
Lis donc ces quelques vers et accompagne-moi
Vois-tu ces marronniers, ces pins, ces conifères ?
Vois-tu comme la pie chante pour ses confrères ?
Tout ce qui vit ici – oui – tout ce qui respire
Est un ami pour moi et pour ma tendre lyre
Regarde tout en bas près de cette rivière
Une table est dressée ; deux assiettes, deux verres
Je t'invite à t'asseoir et à goûter ce vin
N'est-il pas fabuleux ? Je le trouve divin !
Croque donc une pomme, elles sont bien juteuses
Goûte-moi de ce paon, sa viande est savoureuse !
Mais surtout, parle-moi de ta vie, tes espoirs
Parle-moi du Soleil qui éclaire tes soirs
As-tu un but, un rêve, une idée qui te suit
Quand se ferment tes yeux et que tombe la nuit ?
Tandis que nous parlions, la Lune s'est levée
Abandonnons la table, allons de ce côté
Dans la sombre clairière étalée devant toi
J'ai placé des coussins et des draps faits de soie
Allumons ces bougies et couchons-nous ici
Écoute la forêt, il n'y a plus un bruit
Vois au-dessus de nous les astres magnifiques
Qui rayonnent, joyeux, dans cette nuit magique
Qu'y a-t-il de plus beau que ces grandes étoiles
Qui dessinent les cieux comme un peintre sa toile ?
Endors-toi mon amour, ferme tes paupières
Ne pense plus à rien, laisse tout en arrière

Et laisse-toi bercer par ce vent chaleureux
Qui caresse ta peau et tes si beaux cheveux
Ne t'inquiète pas, je suis ici, je veille
Pendant que tu sombres dans un profond sommeil
Du crépuscule à l'aube, une dernière fois
Je baiserai ta main et chanterai pour toi »

**29 avril et 5 mai 2019**

## Une rencontre

Cela faisait trois ans que je servais le roi
Et que, pour mon bonheur, je marchais dans ses pas
En tant que lieutenant des fameux mousquetaires
Dont l'épée aiguisée et la moustache fière
Auraient rendu jaloux mon ami d'Artagnan
Et remplissent d'étoiles les yeux des enfants.
Un jour où nous étions arrêtés au château
Du grand François Ier, nommé Fontainebleau
Mon roi Louis XIV et sa belle maîtresse
Décidèrent soudain de reporter la messe
Pour s'en aller tous deux vers le jardin anglais
Comme d'habitude, je restais en retrait
A vingt pas derrière eux, la main sur la poignée
De ma plus vieille amie, ma chère et tendre épée
Tout prêt à dégainer, à défendre la vie
De mon prince, sa belle et ses boucles jolies
Au détour d'un buisson, pourtant, ma vigilance
Se détourna soudain de l'auguste présence

Une voix s'élevait au loin dans les allées
Un magnifique chant ; je fus ensorcelé,
Oubliant mon devoir. Comme un simple pantin
Je courais bêtement vers ces sanglots divins
Qui résonnaient en moi comme une harpe angélique
Que même ce cher Nietzsche aurait trouvée magique
C'est alors que je vis derrière un grand massif
De beaux camélias, de roses, de bois d'if
Un être si parfait, si charmant et si pur
Qu'on aurait pu la croire enfantée de l'Azur
Elle était l'Harmonie et la Grâce en personne
Elle était la chaleur, le parfum de l'automne
Elle était la Vénus de ces temps révolus
Et la Muse sacrée qui met son cœur à nu
Elle chantait des vers et des rimes légères
Une histoire d'amour, de rêves, de mystères
Comme le rossignol sur la cime du chêne
Ou la grande diva au-devant de la scène
Et j'étais fasciné par cet être divin
Si bien que – oh, seigneur – je fus saisi soudain
D'une mélancolie que l'on ne peut décrire
Et que, pour mon malheur, je poussai un soupir
La belle m'entendant se tut à l'instant même
Comme si, soupirant, j'avais dit un blasphème
Et courut vers les bois, m'abandonnant ainsi
À ma fascination, comme un loup attendri

**22 juin 2019**

## Le sorcier

Dans la très haute tour qui dominait la plaine
Vivait un vieux sorcier qui n'aimait pas les hommes
Toute sa vie durant, victime de sa haine
Il s'était enfermé dans sa plume et son rhum

Ni le chant des oiseaux ni le Soleil du soir,
Ni la robe d'hiver qui couvre les chemins
Ne lui faisaient lever les yeux de ses grimoires
Absorbé qu'il était par les signes latins

Les villageois curieux souvent parlaient tout bas
De ce vieil homme étrange et de sa solitude
Certains le disaient grand, agressif, sec et froid
Comme si son âme fut séchée par l'étude

Mais était-il heureux ? Quelle drôle question !
C'est vrai qu'il rejetait les plaisirs naturels
Mais il trouvait sa joie dans la contemplation,
Dans la philosophie des penseurs éternels

**Entre le 26 et le 28 juillet**

## La philosophie

Il est un art parfait pour qui a la patience
Et la mesure pour élever son esprit
Il se pratique seul, souvent dans le silence
Je veux bien sûr parler de la philosophie

Les Anciens sont pour moi les directeurs de l'âme
Ils savent grâce aux mots éteindre l'incendie
Qui dévaste mon cœur par ses cruelles flammes
Et qui me tient levé dans la plus sombre nuit

Aristote, Platon, Nietzsche, Schopenhauer,
Parménide, Épicure et le divin Sénèque
Étouffent les braises, sources de mon malheur
Tels d'éclatants phénix aux grands et larges becs

Pourrais-je un jour atteindre en suivant leurs conseils
Le calme et la beauté des astres qui renaissent ?
Enfin je peux me voir, enfin je me réveille
Et peut-être qu'un jour j'atteindrai la sagesse

**Durant le même temps**

## Ataraxie

Voici que l'étendard qui se dressait jadis
Au-dessus du château de mes sombres passions
S'abaisse lentement dans un doux précipice
Où le silence est maître et règne la raison

Ici point de douleur, ni non plus de souffrance
C'est un lieu sacré pour l'esprit tourmenté,
Un noble sanctuaire aux statues immenses
Dont les visages fiers apaisent les pensées

« Allons, l'ami, allons, n'y a-t-il plus de place
Tout au fond de ton cœur pour un sincère amour ?
Tu n'éprouves plus rien ? Tu te voiles la face !
Les démons sont partout et te suivront toujours »

Vois-tu je ne suis pas un philosophe sage
Je suis un aspirant cherchant l'ataraxie
Un bateau solitaire au milieu des nuages
Qui vogue lentement, oubliant sa folie

**26 août 2019**

## Étranger

La vie n'a pas de sens, c'est un fait établi
Tout se meut, se retourne, aspiré dans le puits
Du Néant, du Vide, véritables seigneurs
De ce chaos sensible où tout s'élève et meurt
Que faire de ce temps qui nous est imposé ?
Le futur n'est point là, le passé envolé
Que dire du présent impossible à saisir ?
Je tremble en écrivant et m'apprête à vomir
En voyant que le soir, l'Être ne s'éteint pas
Je suis un somnambule étourdi par sa voix
Ne saisissant pourquoi ce visage est le sien
Celui qui, étranger, dans le miroir se tient
Je suis une fourmi, un misérable vers
Enflammé de passions et de désirs amers
Je suis né pour mourir, le reste est un mirage
Je ne suis qu'un oiseau ignoré des nuages
[L'aiguille avance enfin vers le terme attendu
Et la grande cloche qui résonne se tut]

**3 septembre 2019**

## Un millier d'yeux

Ténébreuse cité qui domine la plaine
Dont les immenses tours portent ta lourde peine
Yharnam, ville grouillante éventrée en son sein
Tu es mon bijou noir, mon amour et ma fin.
Les démons qui rôdent abreuvés de ton sang
Ivres d'hémoglobine, étourdis, impatients,
Cherchent ce qui coule dans tes hautes églises
Dans tes artères qui coagulent, se brisent
Quand la Lune pâle, le véritable Dieu
De ce cauchemar et de ses milliers d'yeux
Rougit de fureur et de colère céleste
En voyant les humains se goinfrer quand je peste.

**4 septembre 2019**

## Théa

Je fouillais là tantôt dans mes papiers jaunis
Témoins de mon enfance, éclatants souvenirs
Cherchant des sentiments teintés de nostalgie
À travers ces lettres que le temps vint ternir
Et le hasard voulut que je tombe sur eux
D'anciens petits mots qui m'étaient adressés
Lorsque, petit garçon, je ne pensais qu'aux jeux,
Aux insouciances des enfants que l'on sait
Voyez-vous, en ce temps, une charmante fille
Vietnamienne de sang que l'on nommait Théa
Et moi-même voulions lier nos deux familles
Quand nous avions douze ans ; mais j'étais un ingrat
Sans arrêt hésitant, incertain, imbécile
J'étais comme un furet ; j'évitais sa présence
J'étais faible, inconscient et d'un esprit fragile
Et je la repoussais, étranger de la science
De ce parfum subtil qui accorde les cœurs
(C'est l'amour dont je parle, encore et toujours lui)

Certes, j'étais un sot, mais voyez, j'avais peur !
Cupidon aux ailes tissées de mille lys
Sous l'éclat de la Lune et un être effrayant !
Il paraît dans la nuit être un ange de mort
Un dragon silencieux dont les muscles puissants
Sont prêts à écraser les humains de remords
En relisant ces mots, en voyant les dessins
De la jolie Théa, cette Muse oubliée
Je me demande si l'errance du Destin
N'est pas un signe clair que sa chaîne est rouillée

**8 septembre 2019**

## La belle et le vaurien

Quand j'écoute le chant du vent dans les feuillages
Quand je vois le Soleil qui s'élève sans bruit
J'entrevois – oh bonheur – ton si joli visage
Les perles dans tes yeux qui de mille feux brillent

Quelque chose de beau et de grand me parvient
Quand tu poses sur moi ton regard bienveillant
Ton rire est un cadeau de l'ordre du divin
La Grâce et l'Harmonie sont toutes deux tes enfants

Comment trouver la paix et le calme des eaux
Du lac assoupi et serein où tu te baignes ?
Que ne suis-je ton ombre ou le vent sur ta peau
Qui souffle doucement sur tes plaies qui saignent ?

Et déjà, je te vois dans les bras de quelqu'un
D'un inconnu terrible à la force de fer
Je ne suis qu'un poète, un sinistre vaurien
Qui suis-je misérable, éternel solitaire ?

**9 septembre 2019**

## La potence aux lilas

Le bourreau m'attendait sous son masque glaçant
Il venait d'aiguiser le couteau menaçant
Qui allait d'ici peu m'offrir de séparer
Ma tête de mon corps que l'on verra rouler
Du haut de la potence où je monte sans bruit
Sans prononcer un mot de peur que l'on ne vit
À ma tremblante voix que j'étais terrifié
De ne plus jamais voir le doux Soleil d'été !
Le prêtre demanda en haut des quelques marches
Dressées pour l'occasion juste en dessous des arches
De cet hôtel de ville aussi noir que la Mort
Si je voulais parler juste avant que le Sort
S'abatte sur ma nuque et brise mes vertèbres
Et que j'entame enfin mon voyage funèbre
Je n'avais rien à dire ou bien tout au contraire
Je désirais crier ma rage et ma colère !
Mais cette volonté s'épuisa dans mon âme
Et rien ne sortit de mes lèvres infâmes

La foule, cette bête aux multiples visages
Avide de mon sang hurlait des sons sauvages
Comme un lion affamé à qui l'on s'apprêtait
À donner, innocent, un jeune agneau tout frais
J'étais terrorisé devant l'énorme horloge
Qui à son office – non – jamais ne déroge
Et puis soudainement, alors que le bourreau
Après m'avoir couché, plaçait sous moi un seau
Je vis tes yeux brillants m'embrasser tout entier
Et me couvrir ainsi d'innombrables baisers
L'Harmonie, la Grâce, la Beauté, tout cela
Brillaient de mille feux et de cent mille éclats
À travers ton regard de chaleur et d'automne
Qui plongent dans mon âme avant que l'heure sonne
Ah ! Comme j'aimerais pouvoir crier ton nom
Et montrer au monde cruel cette passion
Qui me sauve au moment où s'éteint mon soupir !
Je suis le serviteur de ton glorieux empire !
Que je t'aime, grands dieux, que je brûle d'amour !
Et même si, malheur, voilà mon dernier jour
Laisse-moi donc t'offrir ce bouquet de lilas
Et mon cœur et mon sang… je t'aime ****** !

**11 septembre 2019**

## Ballotté en tous sens

Je suis comme un bateau secoué par les flots
Je tangue et bascule sur la mer enragée
De mes émotions et du profond cachot
Des douleurs internes qui ne font qu'empirer

Pourtant si j'ai appris durant ma courte vie
Grâce au divin Sénèque et sa plume subtile
Une chose utile, c'est bien l'ataraxie
Mais face à elle, et bien, mes efforts sont futiles

Tantôt, je suis Icare élancé dans les cieux
Tantôt, un fossoyeur au fond d'un précipice
Tantôt, je suis rongé par l'amour et son feu
Tantôt, je suis colère et sinistre malice

Au fond de moi, je sais que je ne suis qu'un homme
Je suis soumis aux lois de l'Univers immense
Mais si je parvenais à réduire la somme
Du malheur infernal, de toutes mes souffrances

Je me verrai enfin égal aux dieux anciens !

Imprimé en Allemagne
Achevé d'imprimer en Novembre 2020
Dépôt légal : Novembre 2020

Pour

Le Lys Bleu Éditions
83, Avenue d'Italie
75013 Paris